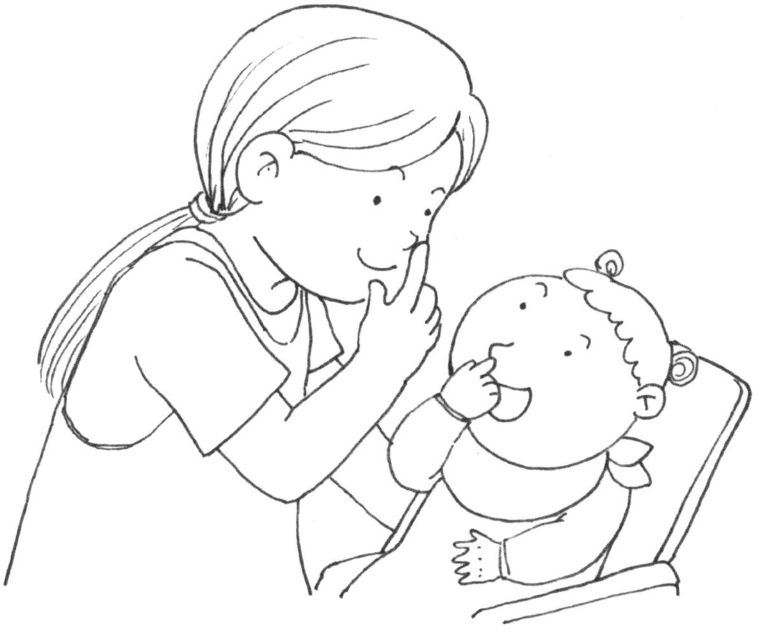

코 코 코 코

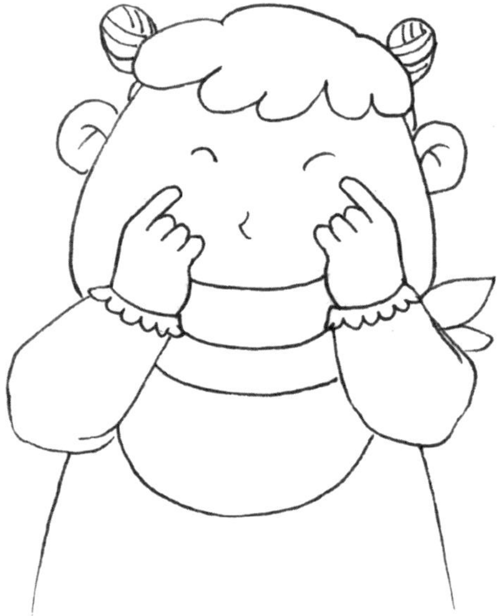

눈

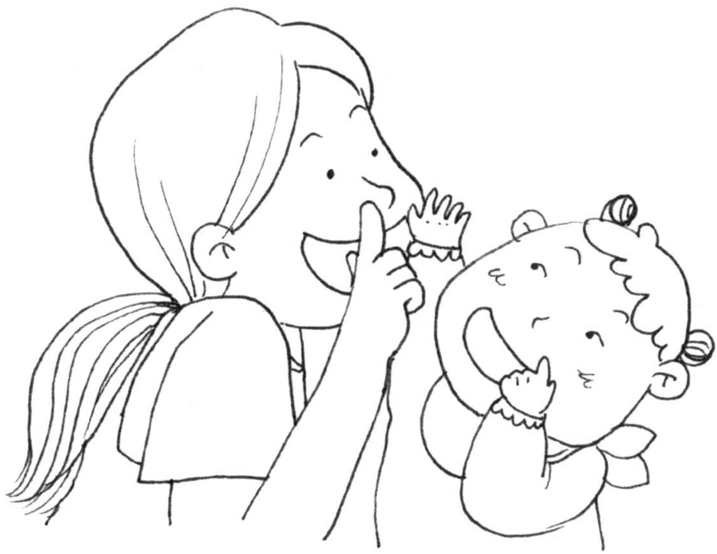

코 코 코 코

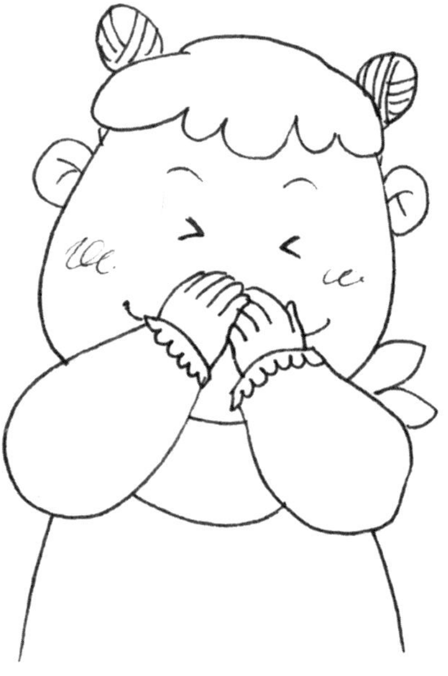

코

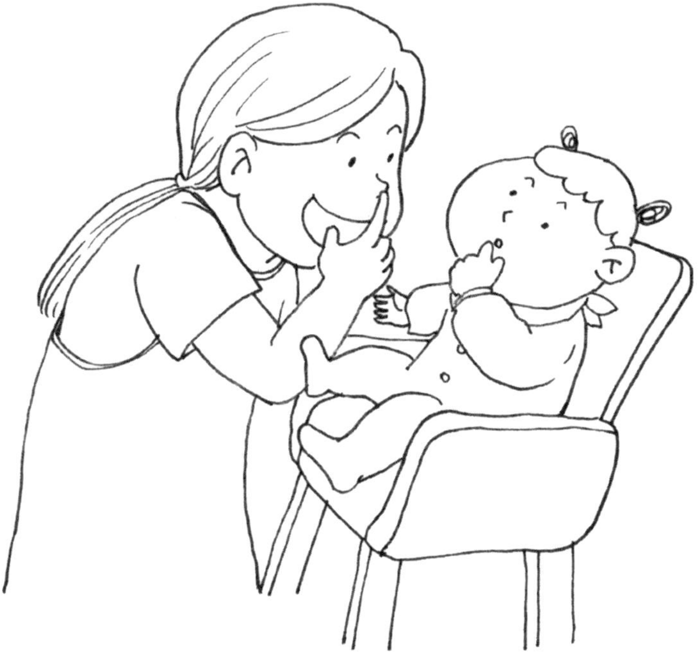

코 코 코 코

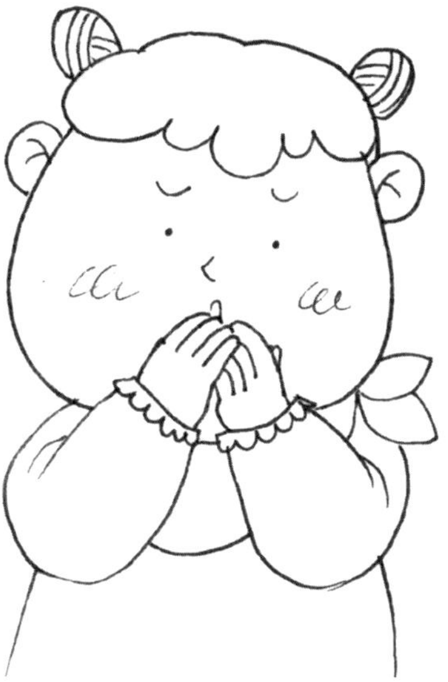

입

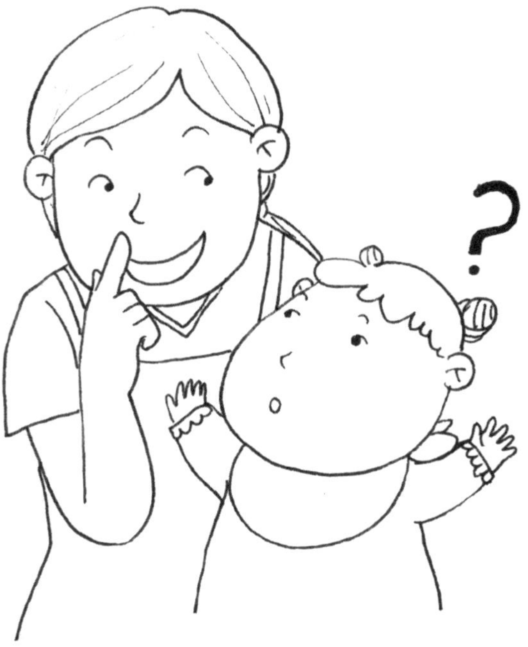

눈 코 입이 모이면

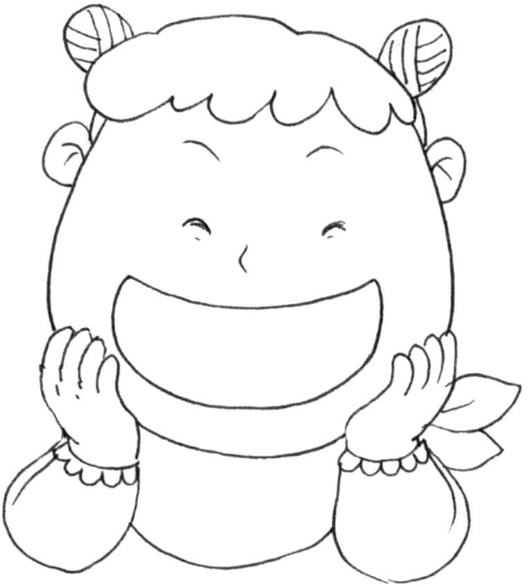

내 얼굴